Respete el derecho de autor.
No fotocopie esta obra.
**CeMPro**

Teléfono: 1946-0620
Fax:       1946-0655
e-mail: a_literatura@editorialprogreso.com.mx
e-mail: servicioalcliente@editorialprogreso.com.mx

Desarrollo editorial: Víctor Guzmán Zúñiga
Dirección editorial: Eva Gardenal Crivisqui
Edición: Ariel Hernández Sánchez
Coordinación de diseño: Rigoberto Rosales Alva
Diseño de portada e interiores: Karina Lisette Sánchez Suárez
Ilustración de portada e interiores: Marcelo Patricio Betteo Lagomarsino

*Fábula de la pelota y la fuente*
*(Colección Rehilete)*

Miembro de la Cámara Nacional de la Industria Editorial Mexicana
Registro No. 232

ISBN: 978-970-641-837-1 *(Colección Rehilete)*
ISBN: 978-607-456-502-7

Impreso en México
Printed in Mexico

**1ª edición: 2011**

# Fábula de la pelota y la fuente

## Toño Malpica

Ilustraciones de Patricio Betteo

*Para Olivia y Angélica, a quienes no pude
cumplir la promesa de pasear en mi propio coche.*

*Y para Rocío, que se fue de urgencia a asistir a
Bach y a Haendel.*

*Ojalá les guste esta pequeña ofrenda.*

Luis conoció a la Muerte cuando apenas tenía diez años.

Estaba de paso en Cuetzalan, un pueblito de la Sierra Norte de Puebla, y no creía en fantasmas. Era la una de la mañana cuando escuchó ruidos y abandonó la cama en la que dormía junto a su madre.

Al abandonar la habitación, vio a don Julián, completamente vestido de blanco, con sombrero y huaraches, mordiendo una naranja.

También hay que decir que esa no era una noche cualquiera. Era la noche del primero de noviembre. Y don Julián se encontraba sentado junto a la ofrenda que le había dejado su familia. Luis lo contempló un instante, hasta que el viejo terminó su naranja y se animó a dar un trago al pocillo del atole.

Don Julián vio a Luis y le sonrió, pero no dijo nada. Siguió degustando las viandas sin perder un segundo. Luis también le sonrió. En aquel tiempo Luis prácticamente no le tenía miedo a nada.

Entonces entró la Muerte.

A través de la puerta, siguiendo el caminito anaranjado de pétalos de cempasúchil que llevaba al altar, la Muerte hizo su aparición. Dio unos cuantos pasos y se sentó junto a don Julián.

También hay que decir que don Julián había fallecido cuarenta años atrás. Se había caído a un barranco.

La Muerte saludó con la cabeza al viejo y éste le devolvió el saludo. Luego, compartieron una tableta de chocolate y un poco de pan.

Luis se estremeció, a pesar de que no creía en fantasmas. Hay que aclarar que no era miedo, sino sorpresa. Él y su madre habían llegado apenas tres horas antes a esa pequeña casa de la sierra, donde vivían unos amigos productores de café de su madre y, aunque el ambiente era un poco tenebroso, no sintió miedo. Eso sí, desde que traspasó la puerta, le llamó la atención la ofrenda, pues en su casa no se tenía la costumbre de honrar a los muertos. Ni siquiera a su padre, fallecido antes de que Luis naciera, le habían hecho nunca un homenaje como ése.

Merendó un poco de leche y se fue a dormir temprano. Fácilmente se hubiera despertado hasta el amanecer. Pero entonces, a media noche, escuchó ruidos y se levantó.

La Muerte tenía un extraño semblante. No era para nada una calavera. Era más bien como un hombre de unos treinta o cuarenta años. Tenía los ojos verdes, la nariz afilada y el rostro cubierto de hollín. Las manos, igualmente manchadas con algo parecido al carbón pulverizado. Vestía pantalones deportivos negros con franjas anaranjadas. Botas de hule amarillas. Y un suéter cerrado de lana color café oscuro.

Luis se estremeció porque la Muerte posó sus ojos en él. Y esto fue lo que consiguió el milagro, si queremos llamarlo así. Porque la Muerte se dio cuenta en el acto de la reacción de Luis.

—¡Por los bigotes del difunto! –exclamó la Muerte–. ¿Puedes verme?

Don Julián también se sobresaltó, hay que decirlo. Y dejó de morder el pan que en ese momento sostenía entre sus manos.

Luis sólo se animó a asentir. No le salieron las palabras.

La Muerte sonrió. Tenía una simpática sonrisa. Se sacudió las migajas de pan en su pantalón deportivo y se puso de pie. Se acercó a Luis y lo estudió con detenimiento.

Luis, ya lo hemos dicho, no creía en los fantasmas. Pero igual volvió a sentir una especie de escalofrío, aunque éste se disipó muy pronto, pues la Muerte en verdad tenía una sonrisa muy simpática. Y unos ojos verdes cautivadores.

—Pasa una vez cada cuarenta y nueve años. A veces antes. A veces después. ¿Cómo te llamas?

Luis se pellizcó un brazo. Estaba seguro de que con eso bastaría para despertar en su cama. Pero no ocurrió. A pocos metros de distancia se escuchaban los ronquidos de su madre. Y a muchos metros de distancia, los ladridos que dos perros del pueblo le hacían a la luna.

—¿Cómo te llamas? No tengas miedo.

Hasta ese momento se animó don Julián a pasarse el bocado que había dejado en suspenso.

—Luis Martínez –dijo Luis en un susurro.

—Mucho gusto, Luis Martínez –le estrechó la Muerte la mano. Definitivamente era la mano de un hombre de unos treinta o cuarenta años. Estaba llena de tizne pero igual era una mano común y corriente. Luis, con ese apretón, se sintió más confiado.

Don Julián y la Muerte se miraron.

—Pasa cada cuarenta y nueve años –afirmó la Muerte–. A veces antes. A veces después.

Luis miró por encima de su hombro. El dueño de la casa se encontraba en la puerta de una de las habitaciones.

—¿Estás bien, Luisito? –preguntó éste desde ahí.

Luis miró a la Muerte. Miró a don Julián. Miró al anfitrión, el dueño de la casa.

—Sí, señor. Es que no podía dormir y vine a ver la ofrenda.

—Me da gusto –sonrió éste. Luego, fue a la cocina, se sirvió un poco de agua y volvió al lado de Luis.

Contempló por unos instantes la ofrenda, las veladoras palpitantes, la única fotografía en el altar.

—Era mi abuelo, ¿sabes? Se cayó al fondo de un barranco.

Luis miró la foto. Luego miró a don Julián, que ya terminaba su pedazo de pan.

—Lo que pasa es que esa es una foto vieja. Tenía yo cuarenta años —se animó a explicar don Julián—. Y morí a los setenta y dos.

Luis no añadió nada. El hombre a su lado le pasó una mano por el cabello. Terminó su agua y volvió a seguir durmiendo.

Luis lo siguió con la mirada. Cuando giró el cuello, la Muerte y don Julián ya habían partido.

Luis tenía catorce años cuando la Muerte volvió a visitarlo. Esta vez fue en su casa. También ocurrió la noche de Todos los Santos. Estaba molesto porque no lo habían invitado a una fiesta de Halloween de su escuela. En realidad Luis no era muy popular y a veces le ocurrían este tipo de cosas. Tal vez no era malicia de sus compañeros, tal vez esto se debiera sólamente a que Luis no era el más guapo ni el más simpático y a veces pasaba desapercibido para los demás. Aunque, a decir verdad, estas posibles explicaciones ni siquiera las pensaba Luis. Él se molestaba de todos modos cuando se enteraba de una fiesta a la que no había sido invitado.

Acariciaba a su pequeña tortuga japonesa al mismo tiempo que miraba una película de miedo. Pasaban de las doce de la noche cuando, a través de la puerta cerrada, apareció la Muerte.

Luis se sobresaltó pero no sintió miedo. De cierto modo se alegró. Desde aquella vez que él y su madre habían estado de paso por Cuetzalan, la Muerte no había vuelto a visitarlo.

—Hola, Luis Martínez.

—Hola.

—¿Puedo sentarme?

Luis regresó la tortuga a su pecera y se hizo a un lado para hacer lugar a la Muerte. Ésta se tendió, cuán larga era sobre la cama de Luis. Miraron la televisión un rato hasta que la Muerte se decidió a hablar.

—¿Sabes quién soy, Luis?

—La Muerte.

Los ojos verdes de la temible visitante se avisparon. Se incorporó sonriente.

—Cierto. ¿Cómo lo sabes?

Luis también se lo preguntaba. En realidad no podía decir cómo lo sabía. Pero lo sabía. Se encogió de hombros y siguió viendo a los zombies que aterrorizaban a sus víctimas en la luminosa pantalla.

La Muerte, sonriente como siempre estaba, siguió viendo la película al lado de Luis. Al poco rato, el que se animó a romper el silencio fue Luis.

—¿No tienes trabajo qué hacer?

—No hoy –contestó la Muerte.

—¿Significa que hoy nadie morirá?

—Yo no dije eso.

—¿Entonces?

—Es otro el que se encarga, no yo.

—¿Quién?

Fue ahora la Muerte quien se encogió de hombros. En verdad no lo sabía pero tampoco se lo preguntaba mucho. Sólo dos noches al año tenía vacaciones, la noche del 31 de octubre y la noche del primero de noviembre.

La Muerte no solía cuestionar su suerte: la aceptaba y nada más. Dos noches del año podía salir a pasear sin preocuparse por los necesarios decesos que tenían que ocurrir en el mundo. Y esa noche era una de ellas.

Un zombie, en la película, perseguía a una muchacha rubia muy guapa. La Muerte rió abiertamente ante la idea de que pudiera haber muertos vivientes caminando por todos lados. Sería como aceptar que su trabajo podía quedar a medias. Y eso era absolutamente imposible. O te mueres o no te mueres. Nadie puede andar medio muerto o medio vivo. Por eso rió tan de buena gana. A Luis se le ocurrió que si alguien podía reirse de una idea como esa, ese alguien era precisamente la Muerte.

—¿Te aburres? –preguntó Luis.

Si la Muerte había ido a sentarse a ver la tele con él probablemente era porque estaba aburrida. Tan aburrida como él, que se quedó esperando una llamada telefónica que nunca llegó.

—A veces –admitió ésta.

Pero Luis no podía saber que la Muerte no se refería a ese momento, sino a su trabajo de todos los días. En ese momento, de hecho, la Muerte estaba pasándose un rato muy agradable, pues no siempre podía hablar con alguien, aunque fuera para comentar una película cómica. Cómica en los términos humorísticos de la Muerte, se entiende. La Muerte había contestado que se aburría a veces, aunque de hecho se aburría muy a menudo en su trabajo de todos los días y todas las noches.

Y entonces la golpeó una ocurrencia. Y fue tal el golpe, que creyó que se caería de la cama de Luis. Tuvo que sentarse derecha para asimilar su idea.

—¿Qué pasa? —preguntó Luis, pues la Muerte se había enderezado tan repentinamente que él pensó que le había dado una especie de ataque. Y la idea le pareció cómica. Cómica en los términos humorísticos de un muchacho de catorce años, se entiende: que a la Muerte le viniera la muerte justo ahí frente a sus ojos.

—Luis Martínez —habló la célebre Parca—. Quiero proponerte algo.

Sus ojos verdes chispearon. Finalmente, una oportunidad así sólo se presenta cada cuarenta y nueve años. A veces antes. A veces después.

Luis tuvo ocasión de utilizar el cráneo de madera que le dejara la Muerte unos tres meses después. Era de noche y se disponía a dormir cuando los ojos de la calavera, sobre su buró, comenzaron a emitir una luz azul. Según las instrucciones de la Muerte, debía abrir las mandíbulas del cráneo e introducir una moneda en señal de aceptación.

Puesto que en ese momento Luis no tenía nada mejor que hacer que irse a la cama, cerró con cuidado la puerta de su habitación e introdujo una moneda grande de cobre dentro de la calavera. Al instante apareció la Muerte.

Llevaba consigo un artilugio muy singular: una pequeña marquesina de metal de la cual pendían varias piedras de todos tamaños, sujetas con hilos muy delgados al travesaño horizontal.

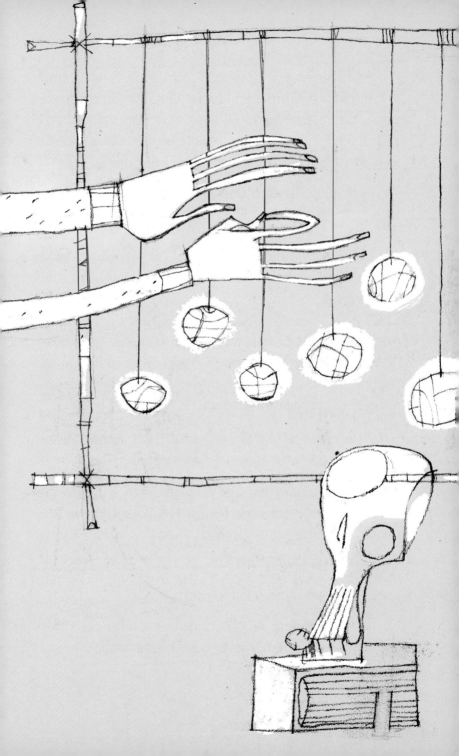

—No sabes cómo aprecio este favor, Luis –a Luis le pareció una broma. La Muerte le había dicho aquella ocasión que se trataba de algo muy importante, y el instrumento que tenía frente a él parecía más un ridículo adorno que un dispositivo "muy importante".

—¿Cuánto tiempo será, Muerte?

—No más de quince minutos, Luis, te lo prometo.

El trato era demasiado simple. Luis debería cuidar el trabajo de la Muerte mientras ésta se ausentaba por un rato. Aquella noche en que vieron una película juntos, Luis había aceptado ayudarla sin pensarlo demasiado. Luego, después de casi tres meses, ya había comenzado a pensar que la Muerte se había arrepentido de tal propuesta. Hasta ese momento en que se encendieron los ojos del cráneo de madera.

—¿De qué se trata? –preguntó Luis, poniendo el arco de metal cuadrado sobre su cama.

—Cada piedra es una vida que está a punto de perderse, Luis –explicó la Muerte–. Sólo tienes que impedirlo mientras yo esté fuera.

—¿Cómo hago esto?

—Mira –le mostró la Muerte.

En el momento en que uno de los hilos comenzó a adelgazarse, amenazando con romperse, la Muerte pasó sus ennegrecidos dedos por encima y el hilo volvió a engrosarse.

—¿No es necesario ser tú para poder lograr eso?

—Prueba.

Luis miró fijamente a la colección de piedras suspendidas. Una peligraba con caer. Luis le pasó los dedos por encima y el hilo recobró su grosor.

—De acuerdo. Parece un trabajo sencillo.

—Quince minutos, a lo mucho. Te lo prometo.

Luis impidió otra muerte y le sonrió a la Muerte, quien le dio unas palmadas en la espalda.

—¿Qué harás mientras tanto? –se interesó Luis.

—No lo sé. Tal vez vaya al Jardín de Niños. Tal vez me enamore. Tal vez cace un león en el África. No lo he pensado todavía.

Luis volvió a sonreír.

—¿Y por qué no haces este tipo de cosas en tus vacaciones?

Se refería a la noche del 31 de octubre y a la del primero de noviembre, naturalmente.

—Porque en ese tiempo me gusta visitar a mis amigos.

Luis le hizo una seña de despedida.

A los catorce minutos con cuarenta y siete segundos, la Muerte ya estaba de regreso.

—¿Qué tan difícil fue, Luis Martínez?

—Fue pan comido, Muerte.

Luis pensó que tal vez él y la Muerte se estuvieran haciendo amigos. Lo supo por el modo en que a ella le brillaron sus verdes ojos cuando se despidió. Y por la última frase que dijo antes de marcharse a cazar leones al África o a donde quiera que hubiese ido.

¡Al sacar la moneda del interior del cráneo Luis notó que tenía una muesca en la orilla! Era la prueba indeleble de que la Muerte le debía un favor.

Luis volvió a recibir a la Muerte el día de su cumpleaños número dieciséis. Su moneda de cobre de veinte centavos tenía ya cuatro muescas y su tortuga japonesa era del tamaño de una hogaza de pan.

Para entonces, el carácter de Luis ya había comenzado a cambiar. Ya no era para nada un niño y cada día reía menos.

Pocas horas antes Luis había hecho una fiesta que resultó ser un fracaso. Fueron muy pocos de sus amigos y la muchacha pelirroja que le gustaba de su salón no había asistido tampoco. Luis estaba de un humor insoportable cuando los ojos del cráneo se encendieron, justo después de la cena. Pensó en negarse a recibir a la Muerte, pero de pronto tuvo una ocurrencia e introdujo la moneda en la calavera. Al momento apareció la Muerte, con sus pantalones deportivos y su suéter de lana.

—Voy a tomar clases de piano —se ufanó la Muerte, paladeando los grandes conciertos de los grandes maestros que ejecutaría en breves minutos.

—¿No será eso un poco tardado? —se quejó Luis, acomodando la marquesina en su cama, como ya había hecho cuatro veces antes.

—No para mí —volvió a ufanarse la Muerte, sonriente como siempre que visitaba a Luis.

Estaba a punto de desaparecer cuando Luis la detuvo.

—Oye, Muerte… ¿y si quiero cobrarte alguno de los favores que me debes?

—Soy toda oídos.

Luis se sentó en la cama. Parecía nervioso. Y como por un rato no dijo nada, la Muerte prefirió poner una cosa en claro.

—Nunca habíamos hablado de esto, Luis Martínez, pero… sólo puedes pedir una cosa.

—¿A qué te refieres?

—Sólo te puedo conceder una cosa, Luis.

Luis se mostró decepcionado. Por un momento había creído que la Muerte podía hacer las veces de "genio de la lámpara" y concederle lo que quisiera. Había pensado pedirle el cariño de la muchacha pelirroja de su salón.

—¿Y qué es "esa cosa" que sí puedes conceder, Muerte?

—Tiempo.

A Luis le pareció que era una burla. Ya se estaba arrepintiendo de haber ayudado tantas veces a la Muerte.

—Si lo piensas bien, es el mejor de los regalos —exclamó ésta, al ver que Luis no lo tomaba con ningún entusiasmo.

—¿Ah, sí? ¿Y por qué?

—Porque el tiempo es momentos. Y los momentos son vida.

Una vez que dijo esto, la Muerte desapareció para irse a tomar clases de piano. Luis se puso a cuidarle el puesto con muy pocas ganas. Pero la verdad es que la Muerte se tardó muy poco, tal cual prometió. A los veinte minutos volvió hablando maravillas de los grandes conciertos de los grandes maestros que había aprendido a tocar.

—Gracias, Luis –dijo.

Pero Luis sólo torció la boca y se arrojó en la cama, deseando que la Muerte no volviera por ahí en meses o en años.

Y así ocurrió. Luis tenía veinte años ya cuando los ojos del cráneo volvieron a emitir su luz azul.

Hacía mucho tiempo que había dejado de ser un niño. No reía en lo absoluto y estaba malhumorado casi todo el tiempo. Además, había aprendido a tener miedo.

Cuando la Muerte necesitó de su ayuda, estaba estudiando para un examen muy difícil. Pensó negarse pero tampoco quería hacer enfadar a la Muerte.

Si lo pensamos un poco, nadie desea hacer enfadar a la Muerte.

Luis sacó del cajón de su buró la moneda de cobre con cinco muescas y la introdujo en el cráneo.

Cuando la Muerte apareció, Luis ya había vuelto a meter la nariz en un libro muy gordo. la Muerte se aclaró la garganta para anunciarse pero Luis nunca volteó a mirarla. Ella, al notar tal desdén, se entretuvo con la tortuga japonesa de Luis, que ya era del tamaño de un balón de futbol americano. Luis no le apartó la vista a su libro ni por un segundo.

—Date prisa, Muerte, tengo muchas cosas que hacer.

La Muerte notó entonces que Luis Martínez había cambiado. Y aun tratándose de ella, no pudo saber las razones exactas de dicho cambio. Se las imaginaba, eso es cierto. Finalmente, era LA MUERTE. Había vivido tantos años que casi lo sabía todo. Y lo que no sabía, lo podía suponer. Pero no podía estar completamente segura del por qué del cambio operado en Luis.

La Muerte extrañó entonces un poco al otro Luis Martínez. Aquel que había conocido en Cuetzalan diez años atrás.

—Serán sólo diez minutos, Luis. Ni un segundo más, te lo prometo.

Luis bufó y cerró su gran libro. Acomodó la marquesina en su cama y aguardó a que la Muerte desapareciera.

Pero ésta no lo hizo. Parecía aguardar algo.

—¿Y bien? ¿Qué esperas? –volvió a gruñir Luis.

—Tu petición.

—¿Qué petición?

—Me da la impresión de que a ti se te ha ocurrido algo y…

Luis estaba a punto de decirle a la Muerte que se dejara de bobadas y no lo hiciera perder más el tiempo cuando, efectivamente, algo se le ocurrió. Y sonrió. Pero muy poco. Luis llevaba ya varios meses sin sonreír y casi no se acordó de cómo hacerlo.

—Tienes razón, Muerte… quiero un poco del tiempo que me debes.

Luis había pensado en comprar tiempo para poder terminar con todas las obligaciones que lo agobiaban en ese momento. Tenía que estudiar para un examen muy difícil, tenía que terminar varias tareas y avanzar sobre un informe primordial para su trabajo de medio tiempo. la Muerte se sentó a su lado. No lo sabía todo pero podía suponer algunas cosas, y prefirió no sacar conclusiones apresuradas.

—¿Quién está muriendo? –cuestionó la Muerte.

—¿Por qué?

La Muerte se frotó la cara llena de hollín. Se mostró un poco consternada.

—Caray, Luis Martínez, creí que te lo había explicado. Yo sólo puedo comprar tiempo para alguien que está por morir. Puedo lograr una prórroga, por así decirlo.

Luis se molestó en serio.

—Eres un fraude, Muerte.

—¿Ya no quieres ayudarme?

Luis no le respondió. Sólo miraba cómo la Muerte impedía a las piedras caer al suelo haciendo, una y otra vez, haciendo pases con sus manos.

—Te debo cinco favores. No son poca cosa, Luis.

—Mmmhh… –gruñó Luis, mirando de soslayo el enorme libro al que tenía que volver cuanto antes.

—Te voy a conceder un sexto gratis.

—Aunque me concedieras veinte.

La Muerte no se mostró ofendida. Para variar, le sonrió a Luis y le confirmó:

—Uno sexto, que es gratis, ya te dije.

Tomó su marquesina y se puso en pie. Contempló a Luis como se mira a alguien a quien se ha herido sin querer.

Luis prefirió no ver a la Muerte a los ojos. Desvió su mirada a la marquesina justo para ver cómo una de las piedras se desprendía de su atadura y chocaba con el suelo, haciéndose trizas.

—Ahora, si me disculpas... –dijo la Muerte–, tengo que hacerle una visita a un abuelo que acaba de sufrir un infarto.

La Muerte desapareció y Luis se quedó solo en su cuarto, sintiéndose un poco miserable por haber negado su ayuda a la Muerte. Fue a la calavera y extrajo su moneda. En efecto, tenía seis muescas. La sexta, un regalo de la Muerte.

Y al levantar la vista, se dio cuenta de que su tortuga japonesa forcejeaba con algo que, aparentemente, tenía atorado en la garganta. Forcejeaba. Forcejeaba.

Forcejeaba.

Al poco rato, ante los ojos de Luis, dejó de luchar y cerró los ojos.

Quedó inmóvil.

Flotaba inerte en la verdosa agua de la pecera.

Entonces Luis consintió el pensamiento casi involuntariamente mientras apretaba su moneda de cobre de veinte centavos. Casi involuntariamente, sí, pero igual consintió tal pensamiento.

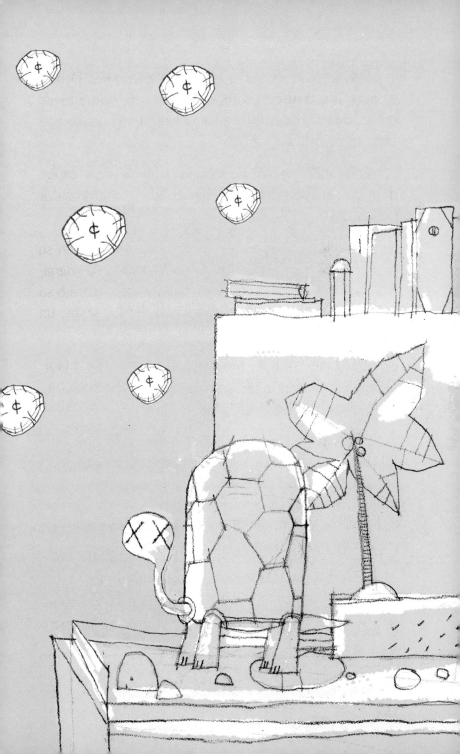

Y la tortuga dio un respingo. Luego, otro. Y otro. Hasta que consiguió expulsar una enorme piedra fuera de su boca. Comenzó a nadar en el agua como si nada hubiera ocurrido.

Luis sólo arrojó la moneda, ahora con cinco muescas, dentro del cajón de su buró. Volvió a sus obligaciones.

El siguiente Día de los Fieles Difuntos, la Muerte decidió visitar a Luis como hacía antaño: sin pedirle ningún favor y sólo por ver cómo estaba. En un tiempo la Muerte también había pensado que ella y Luis se estaban haciendo amigos, así que tal vez valiera la pena alimentar esa posibilidad.

Encontró a Luis Martínez tan ocupado que éste apenas si se dio cuenta de su llegada. Eran casi las doce de la noche pero Luis, al mismo tiempo, contestaba una llamada telefónica, atendía varios correos electrónicos y concluía un informe primordial para su trabajo de medio tiempo.

—Hola, Luis Martínez –dijo la célebre Huesuda.

Pero no obtuvo ninguna respuesta. Así que se sentó sobre la cama de Luis y comenzó a jugar con el control remoto de la televisión.

—¡Muerte, por favor! ¡Estoy tratando de trabajar! –fue todo lo que obtuvo en respuesta.

A las dos horas se cansó de charlar con la tortuga y decidió marcharse.

Luis sólo levantó la vista y negó con la cabeza.

La Muerte habría podido suponer muchas cosas pero nunca habría adivinado el porqué del cambio de Luis. La explicación es tan simple que casi ni vale la pena mencionarla.

Y es que… en realidad… no hay una explicación como tal. Luis simplemente había empezado a tener miedo. Una tarde como cualquier otra, había comenzado a mirar por encima de su hombro, a despertar por la noche sobresaltado, a tomar previsiones por cualquier cosa.

La Muerte había vivido muchos años. Tantos, que lo sabía casi todo. Y lo que no sabía, al menos lo suponía. Pero no sería la Muerte quien le diría a Luis Martínez lo que había descubierto, por mucho que alguna vez creyeran ser buenos amigos. La Muerte, con todo y su importante papel en la historia de la humanidad, también podía ser muy sensible. Y la última visita a Luis la había dejado un tanto resentida. Resentida en los términos sentimentales de la Muerte, se entiende.

No obstante, también sabía la Muerte que encontrar a alguien como Luis puede ocurrir sólo cada cuarenta y nueve años. A veces antes. A veces después. Y un buen día de gran hastío se animó a solicitar nuevamente su ayuda.

Habían pasado casi diez años y le sorprendió a la Muerte recibir una respuesta afirmativa por parte de Luis.

La muy ingenua no sabía que Luis lo había meditado por varios minutos y, al final, se había decidido a aceptar sólo por no hacer enfadar a la Muerte.

Si lo pensamos un poco, nadie desea hacer enfadar a la Muerte.

A la Muerte le sorprendió recibir una respuesta afirmativa. Pero más le sorprendió ser recibida en el último piso de la torre más alta de la zona más exclusiva de una de las ciudades más grandes del Mundo. Y aún más le sorprendió hallarse en una lujosa oficina de grandes ventanales y muebles carísimos. Lo que no le sorprendió fue ver que Luis Martínez era ahora un hombre que casi todo el tiempo tenía miedo.

—¡Por los bigotes del difunto, Luis! ¡Qué gusto me da que me hayas…!

—Tengo escasos cinco minutos, Muerte –le interrumpió Luis–, si no te importa, podríamos comenzar de inmediato.

—De acuerdo, Luis.

La Muerte puso su singular aparato sobre el finísimo escritorio de Luis Martínez, afanándose por no rayar su superficie. Se pasó, nerviosa, una mano sobre el rostro cubierto de hollín, temerosa de estropear algo que costara muchísimo dinero. Luis se apresuró a tomar el lugar de la célebre Pelona y, un tanto impaciente, miró su reloj de oro.

La Muerte desapareció y, justo a los cuatro minutos con cincuenta y tres segundos, reapareció.

—Te debo otra, Luis –sonrió, como siempre hacía.

—Sí, Muerte, como tú digas. Ahora, si me permites…

Luis ya revisaba unos papeles sobre su escritorio y atendía tres llamadas telefónicas mientras la Muerte recogía su marquesina. A ella le hubiera gustado contar a Luis que había presenciado cuarenta auroras boreales y había surfeado sobre una docena de tsunamis, pero prefirió no seguir molestando.

No obstante, antes de salir, dio unas palmaditas a la tortuga japonesa de Luis, que ya era del tamaño de una sandía y que ahora tenía su propia piscina.

Para todo el mundo hubiera sido motivo de asombro el saber que Luis Martínez, el famoso millonario, tenía miedo casi todo el tiempo. Aún para el mismo Luis Martínez habría sido una sorpresa saberlo, pues el mismo Luis Martínez, el famoso millonario, ignoraba que casi todo el tiempo tenía miedo.

Cada año, durante los días en que se honraba a los muertos, Luis Martínez podía observar a los fieles difuntos andar por el mundo y, en caso de haber sido obsequiados con una ofrenda, degustar las viandas que sus familias habían dispuesto para ellos, del mismo modo que había ocurrido allá en Cuetzalan. Cada año Luis Martínez tenía la ocasión de ver desfilar por los cementerios, por las calles, por los pasillos de las casas, a todos aquellos que alguna vez habían compartido el mundo con los vivos. Cada año, Luis Martínez presenciaba un espectáculo como para ponerle los pelos de punta al más valiente y, no obstante, nunca dio señales de sentir el menor temor.

Por eso decimos que hubiera sido una sorpresa, aún para el mismo Luis Martínez, el famoso millonario, saber que casi todo el tiempo tenía miedo.

Para todo el mundo hubiera sido motivo de asombro saber esto. Pero no para la Muerte que había vivido tantos y tantos años.

Ella y Luis habían reiniciado su relación. La moneda de cobre tenía ya dieciocho muescas cuando Luis cumplió los treinta y ocho años. Pero era sólo eso: una relación, no una amistad. A veces le parecía a la Muerte que en realidad se trataba de una relación de negocios, que puede ser el tipo más frío de relación que existe. Pero igual la Muerte no le daba mucha importancia a esto. Gracias a que Luis no se había negado a ayudarla nunca, ella había podido construir un castillo en Italia, había escrito tres novelas gordas de misterio y había criado cinco ballenas en el ártico. Por mencionar sólo tres de los favores que le debía a Luis.

Así que, cuando estaba atendiendo un deceso por accidente automovilístico y presintió que Luis apretaba su moneda de cobre, no dudó un segundo en hacerse presente.

—¿Quién está muriendo? —preguntó sin aliento al llegar a la lujosa oficina de grandes ventanales y carísimos muebles.

Luis terminaba un informe primordial para su trabajo de tiempo completo. Sin levantar la mirada, sólo dijo:

—Mi madre, Muerte. Hazte cargo, por favor.

La Muerte torció sus finos labios. Sus verdes ojos se tornaron un poco grises. Su afilada nariz se arrugó un poco.

—¿Pero qué dices, Luis?

Luis levantó la vista de sus papeles. Tenía tanto dinero que casi todo el mundo obedecía sus órdenes sin obligarlo a repetirlas. Casi todo el mundo. Pero no la Muerte.

—Que se trata de mi madre, Muerte. Encárgate, por favor.

La Muerte se llevó una de sus tiznadas manos a la frente. Se sentó en uno de los carísimos sillones sin importarle si lo estropeaba o no con sus sucios pantalones deportivos.

—Luis... –titubeó un poco–. Me llevé a tu madre hace tres días. De hecho, me sorprendió no verte ahí, en su cama de hospital.

Luis Martínez abrió grandes los ojos en señal de sorpresa. Una sorpresa que duró muy poco. Siguió atendiendo su primordial informe.

—Ahora ya no puedo hacer nada por ella, Luis. Creí habértelo explicado bien.

Luis siguió con sus papeles. Alguna vez, en algún periódico, había aparecido un reportaje sobre Luis en el que decían que ganaba tanto dinero con su trabajo que, si se detenía dos minutos a descansar, perdía el equivalente a una casa con jardín, cochera y reja electrificada.

—Tu madre llevaba hospitalizada cuatro meses —exclamó la Muerte, apesadumbrada—. Creí que estabas resignado. Creí que...

No supo cómo continuar. Y Luis no dijo nada. En realidad los médicos le habían estado telefoneando desde que su madre cayó enferma, pero siempre tenía otra llamada más importante que atender. Eso sí, había apuntado en su agenda que tenía que cobrar uno de sus favores a la Muerte. Pero, por lo visto, había dado atención a ese recordatorio demasiado tarde. Tres días demasiado tarde, para ser exactos.

Luis Martínez tomó su moneda de cobre y confirmó que las dieciocho muescas siguieran ahí. La devolvió al cajón del cual la había extraído.

—Ni hablar, Muerte. Si no se puede hacer nada, entonces no te quito más tu tiempo.

La Muerte había vivido muchos, muchos, muchos años. Tantos, que había perdido la cuenta. Mas en ese momento quiso hacer memoria y recordar si en tantos y tantos y tantos años había conocido a alguien que se hubiera vuelto tan pero tan pero tan ciego a lo verdaderamente importante.

Contempló a Luis por varios minutos hasta que éste, que tenía varias llamadas

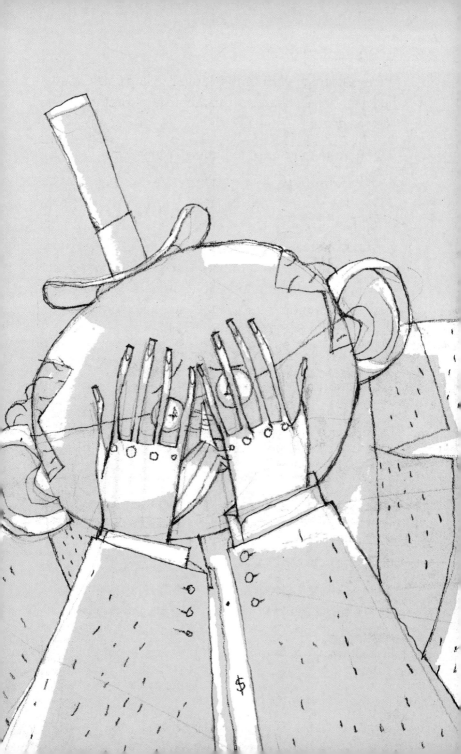

y varios correos electrónicos y un informe primordial que atender, exclamó sin cambiar la expresión de su rostro:

—No te quito más tu tiempo, Muerte.

La Muerte sabía por experiencia propia que, cuando alguien tiene tanto miedo, es muy difícil que escuche. Prácticamente imposible. Porque se vuelve ciego y sordo al mundo y sólo ve y escucha los terrores (muchas veces inexistentes) para los que, según él, se está preparando con tanto ahínco.

Y pese a que había vivido tanto, tanto, tanto tiempo, al parecer la Muerte estaba olvidando que, cada cuarenta y nueve años, a veces antes, a veces después, alguien como Luis Martínez aparece en el camino. Alguien que puede ver a la Muerte a los ojos y que merece ser ayudado.

Como aquel hombre de las cavernas que, al final decidió abandonar el confort de su cueva para salir a conquistar nada menos que el fuego. Como aquel monje que decidió dejar las penitencias para después y ponerse a combatir con otros monjes la peste negra. Como aquel filósofo. Como aquel general, aquel científico, aquel contador, aquel emperador, aquel policía…

Por lo visto, a veces es necesaria una visita de la Muerte para ayudar a alguien a poner cierto orden en su vida.

Paradojas, que les llaman.

La Muerte estaba atendiendo las defunciones de una epidemia, tenía mucho trabajo. Pero igual se acordó súbitamente. Habían pasado casi cuarenta años desde que conoció a Luis Martínez frente a una ofrenda en Cuetzalan. La moneda de cobre ya alcanzaba las treinta y dos muescas y la Muerte comprendió que eso es lo que hacen los amigos: ayudarse mutuamente. Finalmente, Luis le había hecho treinta y dos favores. la Muerte, en cambio, no le había hecho a Luis ninguno.

No obstante, para no levantar sospechas, la Muerte decidió aguardar hasta sus próximas vacaciones para hacerle una visita.

Cuando llegó a la lujosa oficina de grandes ventanales y muebles carísimos, pasaban de las doce de la noche. Pero no le sorprendió encontrarse a Luis trabajando a pesar de que era día feriado y era una hora muy avanzada.

—Hola, Luis Martínez —dijo al traspasar la puerta.

Luis se encontraba atendiendo varios informes, todos ellos primordiales para su trabajo de tiempo completo y horas extras. Apenas y respondió a la Muerte con un gesto, sin despegar la vista de sus papeles y su computadora. No obstante, a los pocos minutos se vio obligado a dejar su trabajo. Fue cuando la Muerte dijo:

—Éste es Miguel.

Luis estaba tan acostumbrado a ver espectros la noche de Todos los Santos que no se amedrentó ante la presencia de Miguel. Se trataba de un niño de unos cinco años de cabello ensortijado. Y tenía una linda sonrisa socarrona.

—Necesito que lo cuides unos minutos, Luis. Mientras voy a hacer unos encargos.

Luis levantó la mirada por encima de sus nuevos anteojos. Tanto trabajo le estaba minando la vista.

—¿De qué demonios hablas, Muerte?

—No eres el único que tiene trabajo. Y Miguel me pidió que jugara con él. Pero hoy no puedo. Así que pensé en ti.

—¿Estás loca, Muerte? ¿Por qué yo?

—Serán unos minutos solamente.

—¿No se supone que hoy no deberías trabajar?

—¿No se supone que tú tampoco?

La Muerte desapareció antes de que Luis pudiera volverse a negar. Y se quedó súbitamente solo con Miguel. Le molestó en gran medida detener su trabajo, pero tuvo que hacerlo.

Miguel acariciaba la cabeza de la tortuga japonesa de Luis, que ahora medía lo mismo que un taburete pequeño.

A Luis le ponían nervioso los extraños. Y si éstos eran niños, peor aún. Luis comenzó a equivocarse en sus deberes.

—¿Cómo se llama? –preguntó Miguel de pronto.

Luis hizo a un lado sus papeles, verdaderamente molesto. Según sus cuentas, ya había perdido el equivalente a dos hoteles en la playa con todo y mirador.

—Luis Martínez –contestó agriamente.

—Es un nombre muy feo para una tortuga.

Aquí es donde conviene hacer notar que la Muerte en realidad no se había marchado, sólo había desaparecido de la vista de ambos. Y por un pelo no fue

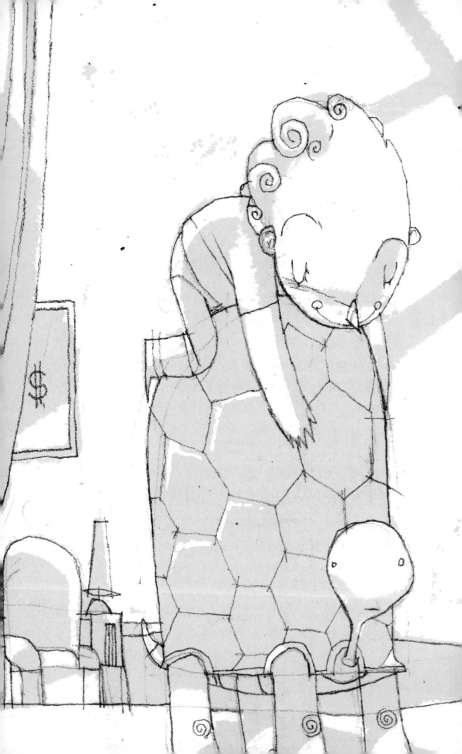

descubierta, pues casi se le escapa una carcajada. Es comprensible que la Muerte deseara ver qué ocurría entre Luis y Miguel. Y también conviene hacer notar aquí que, en el último favor que le había hecho Luis a la Muerte, ésta había leído las obras completas de decenas de autores, entre ellos Oscar Wilde. Y se había impresionado mucho con *El gigante egoísta*.

—Ése es mi nombre, niño. No el de la tortuga.

—Ah –respondió Miguel–. ¿Y cómo se llama la tortuga?

Luis titubeó. Quiso volver a su trabajo pero no pudo. Le temblaron las manos.

—¿Cómo se llama la tortuga? –insistió Miguel.

—No tiene nombre.

—¿Cómo que no tiene nombre?

—No. No tiene nombre. ¿Por qué habría de tener nombre?

Miguel seguía acariciando a la tortuga.

—¿No la quiere?

—¿Que si no la quiero? Es sólo una tortuga.

Miguel palmeaba el caparazón.

—No creo que usted la quiera, porque no le ha puesto un nombre.

—Es sólo una tortuga.

—Si fuera mía, yo la querría mucho. Y le pondría un nombre muy bonito. Y le pondría una gorra de béisbol diferente cada día de la semana.

La Muerte prefirió volver a aparecer. Temió que el encuentro no fuera a terminar bien y surgió de la nada. En un santiamén tomó de la mano a Miguel, agradeció a Luis sus atenciones y añadió una muesca más a su moneda.

Una vez que Luis estuvo solo, perdió el equivalente a un centro comercial con ocho fuentes y dos estacionamientos, de tanto que se quedó pensando.

La noche antes de Navidad, los ojos del cráneo, sobre el escritorio de Luis Martínez, emitieron sendos rayos azules.

Luis dijo varias palabras de esas que hacen a las señoras taparse los oídos, justo antes de introducir su moneda de cobre entre los dientes de la calavera. La Muerte apareció en seguida, cargando su instrumento de piedras colgantes.

—Date prisa, Muerte –gruñó–, tengo siete informes que terminar y como cuarenta correos que contestar.

Luis no dejaba de teclear en su computadora.

—Por cierto. Creo que ustedes ya se conocen.

Luis apenas desvió la mirada de su monitor.

—¿Qué hace él aquí? No es primero de noviembre ni…

No pudo decir más. La Muerte ya estaba fuera de la vista de ellos, aunque todavía dentro de la habitación. Hubiera podido ir a componer alguna ópera o a contar los colores en la cola de algún pavorreal. Pero prefirió quedarse a observar.

—¿Qué es esto, eh? –preguntó Miguel, a punto de tocar la marquesina.

—¡No toques, niño! –gritó Luis retirando el aparato, impidiendo apenas que se consumaran varias muertes simultáneas.

—Esa Muerte me va a oír –gruñó Luis mientras atendía el trabajo de la Muerte con un ojo y, con el otro, vigilaba a Miguel.

El muchacho ya se había sentado encima de la tortuga, a la cual no parecía molestarle.

—Se llama Tina –declaró el muchacho sin dejar de hacer el caballito.

"Tina, vaya nombre más feo", pensó Luis Martínez. Y luego: "Esa muerte me va a oír".

Las manos le temblaron. Estaba seguro de que Miguel haría un millón de estropicios estando él tan ocupado salvando vidas momentáneamente. Pero lo cierto es que Miguel se comportó bastante bien. Después de que jugó con Tina un rato, miró por la ventana e imaginó estar en una nave espacial, luego fingió ser un jardinero muy meticuloso que atendía las plantas artificiales de la lujosa oficina de Luis y, por fin, después de treinta minutos de haber llegado, se quedó dormido sobre la alfombra.

Luis Martínez hubiera podido quitarle la vista de encima a Miguel. Dormido, sería incapaz de romper algo. Pero, por alguna razón, Luis siguió dando pases sobre los tenues hilos de la marquesina de la Muerte sin apartar los ojos de Miguel.

Y la Muerte, hay que decirlo, invisible en ese momento a los ojos de Luis Martínez, no podía quitarle la vista de encima al famoso multimillonario. Súbitamente le pareció sentir que éste, por un brevísimo instante, había dejado de tener miedo.

—¿Ahora eres niñera de tiempo completo?

Con eso saludó Luis Martínez a la Muerte la siguiente ocasión que brillaron los ojos azules del cráneo de madera sobre su escritorio. La Muerte y Miguel habían aparecido justo frente a él cuando la moneda, con treinta y cuatro muescas, fue colocada en el interior de la calavera.

—Está bien. Hagamos esto —exclamó la Muerte, soltando la mano de Miguel para que fuera a saludar a Tina—. Te daré dos muescas por cada visita que te haga y traiga al niño.

—Ahora me parece más justo —refunfuñó Luis.

—¿Qué piensas hacer con tantos favores que te debo?

—Ya los usaré cuando me llegue la hora, Muerte, no te preocupes. Tal vez viva un millón de años.

La Muerte se esfumó sin agregar nada. Y Luis Martínez comenzó a trabajar sobre la marquesina sin perder de vista al niño.

Miguel jugó con Tina al safari, hizo una casita con los gordos libros de Luis, atrapó una arañita y también le puso nombre, se quitó los zapatos y patinó por la estancia, usó un bolígrafo como espada y fue un pirata que se descolgó del velamen de los grandes ventanales,

cacareó como un gallo y bailó como un oso con pandero. Entonces se quedó dormido sobre la alfombra y Luis Martínez se sorprendió a sí mismo contemplándolo todavía.

La Muerte apareció en seguida y agradeció doblemente a Luis, quien apenas pudo apresurarse a levantar el auricular de su teléfono para atender una llamada inexistente. También tecleó algunas palabras inconexas en su teclado. Y desordenó los papeles que tenía frente a sí.

—Dos muescas, Luis Martínez —susurró la Muerte, pues no quería despertar a Miguel—. Dos muescas. Muchas gracias.

La Muerte levantó a Miguel aún dormido. Puso la cabecita del niño sobre su hombro y sonrió, como siempre hacía. A Luis Martínez, con todo y que ya había perdido el equivalente a dos edificios de veinte pisos en una zona rica de la ciudad, le pareció que algo se le rompía por dentro, pues de pronto le vino un pensamiento muy, muy triste. Al ver a ese hombre de treinta o cuarenta años con la cara llena de hollín sosteniendo un niño de cinco años dormido, Luis Martínez sintió que se le rompía algo por dentro.

—Nos vemos, Luis. Gracias por los favores —dijo la Muerte.

Estaba a punto de esfumarse cuando Luis tosió un par de veces.

—Está bien, pregunta –dijo la Muerte, sosteniendo con una mano a Miguel y a su marquesina con la otra. Un par de piedras cayeron al suelo, pero la Muerte no pareció darle importancia.

—¿Yo?

—Sí. Me pareció que tenías una pregunta.

Luis estaba a punto de decirle a la Muerte que se dejara de cosas y no le hiciera perder más el tiempo. Pero, para ser sinceros, sí quería resolver su duda. Era una idea muy, muy triste y quería aclararla cuanto antes.

—Ummhh... –dijo apenas.

—Apresúrate, Luis –insistió la Muerte–, tengo que atender a una pareja de paracaidistas con muy mala suerte.

—Ummmhh... –volvió a decir Luis.

La Muerte ya estaba pensando en claudicar y mejor despedirse cuando Luis por fin habló.

—Quería saber... si no te molesta decirlo... de qué murió el niño.

—¿Qué niño?

Luis miró al techo, exasperado.

—¿Cómo qué niño? ¡El hijo de la vecina! ¿Cómo que qué niño, Muerte? ¿Pues cuántos niños ves en esta habitación?

La Muerte se acomodó a Miguel nuevamente sobre el hombro. No es fácil, ni siquiera para la Muerte, cargar a un niño de cinco años con una sola mano.

—¿Miguel? ¿Y quién dijo que Miguel había muerto?

Pasa cada cuarenta y nueve años. A veces antes. A veces después.

Y Miguel era uno de esos que podían ver a la Muerte a los ojos, aunque tuviera apenas cinco años.

Vivía con sus papás en un departamento muy chico del centro de la ciudad. Cuando la Muerte se había dado cuenta, en el funeral del abuelito de Miguel, que éste podía verla, se le ocurrió que el niño bien podía ayudarlo a ayudar a Luis. Y siempre que podía, mientras sus padres creían que el niño dormía, la Muerte llevaba a Miguel a la lujosa oficina del famoso multimillonario.

Las visitas se sucedieron una a otra. Cada semana una nueva visita, para ser exactos. Y para la Muerte fue todo un regocijo el notar que a veces Luis Martínez se encontraba sin hacer otra cosa que sólo tamborileando los dedos cuando ella y Miguel arribaban, sin llamadas en espera ni correos que contestar ni nada. Al cabo de algunas cuantas semanas se dejaron de ver también informes primordiales sobre el escritorio de Luis Martínez. Y en una ocasión hasta estaba apagada la computadora.

Luis Martínez comenzó a hacer con gusto la tarea de la Muerte. Finalmente no era una tarea cansada ni nada por el estilo. Y mientras impedía que las muertes de la marquesina se sucedieran una a otra, contemplaba a Miguel jugar. Hasta que el pequeño se quedaba dormido sobre la alfombra.

Y Luis se quedaba contemplando al pequeño.

Y la Muerte también, un poco, se quedaba contemplando a Luis Martínez contemplando al pequeño. Luego, aparecía. Y fingía no darse cuenta de que Luis se apresuraba a revisar sus papeles. Sólo una vez no pudo reprimir un comentario mientras se echaba a Miguel al hombro.

—¿Por qué lees esos informes al revés, Luis?

—¿Al revés?

—Sí. Tienes las hojas de cabeza.

Luis apenas pudo girar las hojas mientras refunfuñaba:

—Métete en tus asuntos, Muerte.

Sucedió entonces en esos días que las guerras se desataron por todo el mundo. Una tras otra. Cada semana una nueva guerra, para ser exactos. El mundo se volvió un lugar lleno de disparos y destrucción. No es difícil imaginar que la Muerte de pronto se encontró con tanto trabajo que no pudo siquiera darse un descanso. Y faltó a la cita en la oficina de Luis Martínez el mismo día en que éste, por inverosímil que parezca, había pedido a uno de sus diez choferes que lo llevara a alguna juguetería a hacerse de una pelota grande.

Luis Martínez tamborileó con sus dedos sobre el escritorio durante más de cuatro horas, con lo que fácilmente perdió el equivalente a dos instituciones bancarias de las grandes. Había puesto la gran pelota roja sobre uno de sus carísimos muebles. Y, por inverosímil que parezca, estaba seguro de que no había mejor lugar para una pelota roja que ese sitio. Mas, como la calavera nunca emitió su tan esperada luz azul de cada semana, Luis extrajo del cajón su moneda con sesenta y cuatro muescas y la apretó dentro de su mano.

En un santiamén apareció la Muerte.

—¿Quién está muriendo?

—Nadie.

La Muerte se rascó la cabeza, un tanto enfadada. Le faltaba el aliento y apoyó sus ennegrecidas manos sobre sus rodillas, inclinándose hacia delante.

—Luis, no estoy para bromas. Tengo tanto trabajo que no puedo ni respirar. Así que, si no es urgente…

—Qué. ¿Ya no vas a necesitar que te ayude?

—Luis, es en serio…

—Podría ayudarte. Justo ahora que estás tan agobiada, podría ayudarte. Y si viene Miguel…

La Muerte vio la pelota roja sobre el carisisísimo sofá. Y comprendió un poco. Se dio cuenta de que había algo nuevo en Luis, algo que había detectado hacía casi cuarenta años en sus ojos, allá en Cuetzalan. Pero tenía tanto, tanto, tanto trabajo…

—Luis, lo siento. Con esto no me puede ayudar nadie.

Mostró su marquesina a Luis y éste no pudo sino admitir que la Muerte tenía razón. Las piedras caían al suelo como una lluvia de granizos.

Así que la Muerte hizo un gesto de despedida a Luis y desapareció.

Luis se quedó solo, tamborileando los dedos.

Solo.

Contemplando la pelota roja.

Sintiéndose muy extraño.

A los tres minutos se dio cuenta de que había perdido tanto dinero que tendría que trabajar muchas horas extras para reponerlo.

Encendió la computadora.

Atendió una llamada.

Inició un nuevo y primordial informe.

Lamentablemente, las guerras continuaron. Y la Muerte se vio obligada a trabajar hasta en sus días de descanso. Luis Martínez dispuso una pequeña ofrenda dos años consecutivos el primer día de noviembre. Recordó que a la Muerte le gustaban las tabletas de chocolate y llenó la ofrenda de golosinas. Pero la que alguna vez creyó su amiga no se presentó en ninguna de esas dos ocasiones.

Luis volvió a su trabajo pero nunca quitó la pelota del carísimo sofá. Y ésta, con el paso del tiempo, se fue desinflando hasta que se volvió un deforme pedazo de plástico rojo sin vida.

Su tortuga japonesa ya era del tamaño de un perro cocker spaniel.

Luis Martínez consiguió, con todas las horas extras que trabajó, una fortuna que era realmente inmensa. Pero, con tal fortuna, volvió el miedo. Y el miedo se convirtió en pavor. Llegó al punto de nunca salir de su oficina para no tener que ver nada con nadie. Se hizo de una gran televisión para poder enterarse de las cosas que ocurrían en el mundo. Dormía en la alfombra, justo en el sitio en el que Miguel era sorprendido, también, por el sueño.

Una tarde, mientras contemplaba en la televisión una de las guerras que daban tanto trabajo a la Muerte, sintió como si le faltara el aire y casi se alegró. Ya pasaba de los cincuenta años de edad; tanto trabajo había minado su vista, sus fuerzas, su corazón. Al instante sacó la moneda de cobre del cajón y la apretó con todas sus fuerzas.

—¡Por los bigotes del difunto, Luis! –dijo la Muerte al surgir de la nada–. Espero que no sea una falsa alarma. Tengo tanto trabajo que no lo creerías.

—Estoy a punto de morir, Muerte. Usaré uno de tus favores.

La Muerte lo miró con desdén.

—Déjate de cosas y no me hagas perder el tiempo, Luis.

—Es en serio. Siente mi corazón.

La Muerte negó con la cabeza.

—Estás perfectamente, Luis Martínez.

—Te digo que estoy muriendo.

La Muerte cruzó los brazos sobre su suéter de lana. Sonrió como siempre hacía.

—Dime una cosa, Luis Martínez. Si estuvieras por morir, ¿no lo sabría yo?

Y dicho esto, desapareció.

Luis Martínez, entonces, supo la verdad. Supo que aquello que se le había roto por dentro, cuando hizo aquella pregunta tan triste sobre Miguel a la Muerte, era lo que le impedía seguir trabajando.

Y supo que no habría modo de volver a unir los pedazos más que de una sola manera.

Una sola manera.

Estuvo un muy buen rato contemplando la desinflada pelota roja sobre el carísimo sofá.

Y se decidió.

Descolgó el teléfono y anunció que ya no atendería más llamadas.

Apagó su computadora y hasta desenchufó el cable.

Interrumpió los siete informes que tenía sobre su escritorio.

Tomó entre sus brazos a su tortuga japonesa y, por primera vez en tres años, volvió a salir de su oficina.

Los veinte guardaespaldas de Luis Martínez lo siguieron hasta la calle. Se ofrecieron a ayudarle a cargar a la tortuga. Le preguntaron si no necesitaba nada. Comer, por ejemplo. O hacer alguna llamada. Pero Luis estaba empeñado en no regresar a su oficina si no volvía a unir las piezas de aquello que se le había roto por dentro.

Refunfuñaba a cada paso que daba. Estaba convencido de que no podría retomar nunca el trabajo si no volvía a ser el mismo de antes.

Además, a cada paso que daba perdía el equivalente a un avión de propulsión a chorro o unas vacaciones de cinco años en París.

Pero no había poder humano que consiguiera hacerlo regresar. Ni siquiera el de un ejército de guardaespaldas con apariencia de gorilas.

Y es que Luis Martínez se sentía enfermo de muerte. Ya no se concentraba en su trabajo. Los informes los elaboraba mal. Respondía sus correos electrónicos errando el destinatario. Repetía llamadas que ya había hecho...

Enfermo de muerte. Aunque la Muerte opinara lo contrario.

Cierto es que, al darle la luz del sol, había sentido, también, un terror de muerte. Tenía tanto tiempo sin salir de su oficina que creyó que moriría del susto al enfrentarse con la gente, los autos, la calle. Pero no tardó en decirse que, si fuera a morir, ya estaría ahí, asomando la cara, esa que en otro tiempo acusaba de impertinente y que, ahora, hasta extrañaba. Honestamente.

Así que Luis Martínez avanzó por las calles con su séquito de guardaespaldas. Primero con miedo y luego con decisión. En realidad era bastante simple lo que iba buscando. Lo único que el hombre más adinerado del país deseaba era que, de alguna ventana de algún edificio, surgiera la cara de un niño de cabello ensortijado y sonrisa socarrona gritando el nombre de su tortuga japonesa al verla pasar.

Hecho esto, no estaba seguro de qué más haría. Probablemente comprar otra pelota roja. O un litro de helado de chocolate. No lo había decidido aún. Lo cierto es que, una vez que ocurriera el encuentro, Luis creía que podría al fin volver a sus labores, seguir ganando dinero y todo lo demás.

Pero Luis Martínez no tuvo suerte el día que salió de su oficina. Ni tampoco al día siguiente. O el siguiente.

De hecho, la gente comenzó a dejar de notarlo.

Los periódicos dejaron de mencionarlo. Los perros de olfatearlo.

El señor que vendía camotes ya no se asombraba al verlo aparecer detrás de una esquina. Tampoco el señor de la basura. Ni el trovador callejero. Mucho menos los vagos de la ciudad, quienes lo consideraban uno de ellos.

Luis Martínez, cargando a su tortuga japonesa, se volvió parte del paisaje, parte de los personajes de la ciudad a quien uno deja de notar poco a poco por rutinarios. Como los buzones. O como los árboles.

Hasta los dos años, tres meses y cuatro días, fecha en que le cambió la suerte.

Dos años. Tres meses. Cuatro días.

Luis Martínez se sentó a la orilla de una fuente.

Se quitó los zapatos y metió los pies en el agua.

Echó a nadar a su tortuga.

Se aflojó la corbata por primera vez en todo ese tiempo.

Cerró los ojos.

Se preguntó cuánto valdría algo como eso.

Si cuatro casas con jardín. O una estación espacial. O cuatro teatros de dos pisos.

Varios niños se echaban agua entre ellos.

Las madres charlaban.

Y Luis Martínez pensó que algo como lo que estaba sintiendo debía valer lo mismo que una isla llena de hoteles con albercas y casinos. O un país entero.

Luis Martínez se recargó de espaldas.

Se quedó dormido.

Y, podemos decirlo, al fin tuvo suerte.

Dos años, tres meses y cuatro días habían pasado para que dejara de tener miedo.

Lo sorprendió la noche con la brisa en el rostro.

Y así, una noche más.

Y una más.

Y una más. Hasta que pasaron cinco años (o un poco más), desde la última vez que Luis Martínez le hizo un favor a la Muerte.

Y fue justo cuando se cumplió ese plazo que Luis, sentado en una banqueta con la tortuga sobre sus piernas, con la barba inmensa, las ropas llenas de remiendos, los zapatos agujerados y un pedazo de pan duro en la mano, con el abrazo aún tibio del señor de los camotes, del trovador callejero y del señor de la basura, se dio cuenta de cuatro eventos nada triviales.

El primero: Luis Martínez notó su propia respiración. Y que ésta era acompasada. Y que su corazón latía como un solo músculo. Un solo músculo.

El segundo: Que había dejado de desear, en todo ese tiempo, que la Muerte lo visitara.

El tercero: un edificio en llamas.

Justo frente a él.

El fuego asomaba por las ventanas y los gritos de la gente atrapada se escuchaban hasta donde él se encontraba sentado.

Los bomberos azotaban las estelas acuosas de sus mangueras contra el furioso fuego, sin conseguir grandes resultados.

Era un incendio como Luis había visto muchos en su televisión. Pero éste en particular ocurría frente a él. Frente a Luis y su tortuga.

El cuarto: que sabía exactamente lo que tenía que hacer.

Le pidió a su tortuga japonesa que aguardara ahí y, ante los maravillados ojos de los curiosos que rodeaban la zona del incendio, se abrió paso entre la gente y caminó hacia el inmueble.

Y ante los asombrados ojos de la gente, Luis entró al edificio con paso decidido.

El humo se le metió en los ojos pero él siguió avanzando. Apenas escuchaba cómo la gente a sus espaldas lo llamaba loco y otras cosas peores, pero esto era algo a lo que, en los últimos años, se había acostumbrado bastante. Así que siguió caminando y atravesó una y otra y otra cortina de fuego.

Hasta que llegó al centro mismo del incendio, rodeado de furiosas llamas y sofocantes humaredas.

Entonces, apretó su moneda de cobre, el único objeto que había cargado consigo al abandonar para siempre su lujosa oficina de grandes ventanales y muebles carísimos en el último piso de la torre más alta de la zona más exclusiva de una de las ciudades más grandes del Mundo.

A través del humo apareció un bombero. Tenía los ojos verdes y la nariz afilada. Y sonreía de un modo por demás simpático. Era un hombre como de unos treinta o cuarenta años. Luis Martínez le estrechó la mano.

—Te ves mejor con el casco y la chaqueta puestos —dijo Luis tosiendo.

La Muerte le apretó un hombro con una de sus manos llenas de tizne a modo de saludo.

—No tenemos mucho tiempo, Luis Martínez. ¿Qué quieres que hagamos?

—Estoy seguro de que ya lo sabes…

Luis alcanzaba a oír los gritos de la gente atrapada en los pisos superiores. La Muerte volvió a sonreír.

—El edificio —dijo la célebre Catrina rascándose la barbilla— tiene sesenta y cuatro inquilinos, Luis.

Luis sabía perfectamente cuántas muescas había en su vieja moneda de cobre de veinte centavos.

—Estás bromeando.

—Bueno… en realidad, sesenta y tres, si no contamos al gato de la señora del setecientos dos.

Luis estudió por un momento la moneda. Luego, se la entregó a la Muerte.

—¿Estás seguro, Luis Martínez?

—Déjate de cosas y no me hagas perder el tiempo, Muerte. Haz lo que tengas que hacer –la urgió Luis.

La Muerte echó la moneda al interior de su pantalón con franjas anaranjadas de bombero. Estaba a punto de salvar a sesenta y tres personas y un gato cuando se volvió para observar a Luis con beneplácito.

Le pareció, de pronto a la Muerte, que transcurrían los días, los meses, los años. Que habría podido escalar el monte Everest, haber corrido con los toros en Pamplona o estudiado cientos de idiomas y dialectos. Que habría podido criar un tigre siberiano en sus rodillas o haber levantado veinte catedrales con sus propias manos. Años. Siglos. Milenios. Y, no obstante, sólo habían pasado ocho o nueve segundos. Pero supo la Muerte que no habría cambiado ese instante por ninguna otra cosa, por enorme, majestuosa, imponente, asombrosa que fuera.

Y que décadas, siglos, eras después, ella, la Muerte, se vanagloriaría de haber vivido. Haber vivido precisamente esos poquísimos segundos.

Le dio un abrazo a Luis. Acaso como deben hacer los amigos que se encuentran después de no verse por mucho tiempo. Cinco años, por poner un ejemplo. (O un poco más).

Así que la Parca concedió, ese día, una prórroga a sesenta y tres personas y un gato, que pudieron escapar por una ventana del cuarto piso de un edificio en llamas gracias a la oportuna asistencia de un hombre que, después de deambular por años, se sentó en una precisa banqueta en un preciso momento.

Uno a uno los inquilinos saltaron hasta la lona amarilla. Uno a uno hasta conseguir que cierta moneda volviera a ser perfectamente circular. Uno a uno.

Aunque el gato, hay que decirlo, fue el único que calló de pie.

Y hay que añadir también un último comentario, para comprender por qué Luis, antes de que la Muerte le cerrara los ojos, se vio a sí mismo, como entre sueños, flotando, sosteniendo una pelota roja entre las manos, una pelota enorme como un planeta, flotando de espaldas en una fuente cristalina y ancha como un mar.

Y esto es que, entre los muchos que saltaron cuatro pisos hacia la gran lona amarilla, se encontraba un niño de diez años, cabellos ensortijados y sonrisa socarrona que, antes de desprenderse de la ventana para volar por los aires, reconoció en la calle a una tortuga japonesa de la cual sabía perfectamente el nombre porque, lo que son las cosas, él mismo la había bautizado cuando era un chiquillo de esos que duermen la siesta donde los agarra el sueño.

Miguel tenía doce años cumplidos aquel primero de noviembre en que lo despertaron unos ruidos que provenían de la estancia de su casa, del sitio en el que él y sus padres ponían, cada año, la ofrenda del Día de Muertos.

Se había acostado temprano porque los niños de su salón dieron una fiesta de Halloween y habían olvidado invitarlo. Pero Miguel no le dio mucha importancia a esto.

De hecho no le dio ninguna importancia. Y acudió al altar sin miedo.

Le dio gusto sentarse a compartir una tableta de chocolate con Luis Martínez, un famoso multimillonario a quien, cada noche de Todos Santos, recordaban con bastante cariño sesenta y tres personas y un gato.

Tina, quien portaba una gorra de béisbol, dormía a un lado del altar. Y despertó en el momento justo en que apareció la Muerte.

La Muerte ocupó un lugar entre Luis y Miguel. Su rostro, hay que decirlo, no era para nada una calavera.

Era el de un hombre mayor. Un hombre canoso con bata blanca y estetoscopio al cuello.

Y, mientras masticaba un pedazo de chocolate, tomó la foto que se encontraba en medio de la ofrenda. Una foto que había sido hallada –lo que son las cosas– por la familia de Miguel, debajo de una moneda de cobre, cuando acudieron a contemplar el carbonizado edificio que antaño había sido su hogar.

La Muerte no pudo evitar recordar Cuetzalan.

—Lo que pasa es que esa es una foto vieja –observó Luis–. Tenía yo diez años de edad.

Dicen que pasa cada cuarenta y nueve años.

Aunque a veces puede ocurrir antes.

A veces, después.

Se terminó la impresión de esta obra en agosto de 2011
en los talleres de Editorial Progreso, SA de CV
Naranjo No. 248, Col. Santa María la Ribera
Delegación Cuauhtémoc, CP 06400, México, D F